A Princesa e a Ervilha

Num reino distante, havia um príncipe que queria muito se casar. Mas, para isso, sua noiva precisava ser uma pessoa da realeza, uma verdadeira princesa.

A dúvida era: como o príncipe iria descobrir uma princesa de verdade?

Ele resolveu consultar sua mãe, a rainha. Um dia, enquanto os dois passeavam pelo lindo jardim do castelo, o príncipe perguntou:

— Como saberei se minha escolhida é uma verdadeira princesa, se ela tem mesmo sangue real?

— Filho, você saberá identificar as que não são verdadeiras. Se alguma mexer com o seu coração, faremos testes para verificar se ela é realmente uma princesa — respondeu a rainha.

O príncipe preparou sua bagagem real e viajou o mundo todo procurando a sua amada. Decidiu que se hospedaria no castelo de suas pretendentes para observá-las de perto e, assim, conheceria melhor os hábitos e valores das princesas.

Chegando ao primeiro reino, foi recebido pelo rei e sua filha. A moça era muito bonita e delicada. Mas alguma coisa não convencia o príncipe da sua real condição. Ele a chamou para um passeio pelo reino, para conhecer mais do povo daquele lugar.

Ao chegar na aldeia, ele percebeu a expressão de medo dos moradores na presença de um membro da família real. O povo era muito pobre e sofrido, e a princesa não se importava com isso.

O príncipe soube na mesma hora: uma verdadeira princesa jamais deixaria seu povo com medo e vivendo na pobreza.

Então, decidiu partir para o segundo reino, que era famoso por ter muito luxo e pompa. Diziam que lá as pessoas eram saudáveis e felizes.
— Acho que lá encontrarei uma verdadeira princesa, pois aquele reino de que tanto falam, com certeza, sabe tratar bem seus súditos, diferente deste aqui.

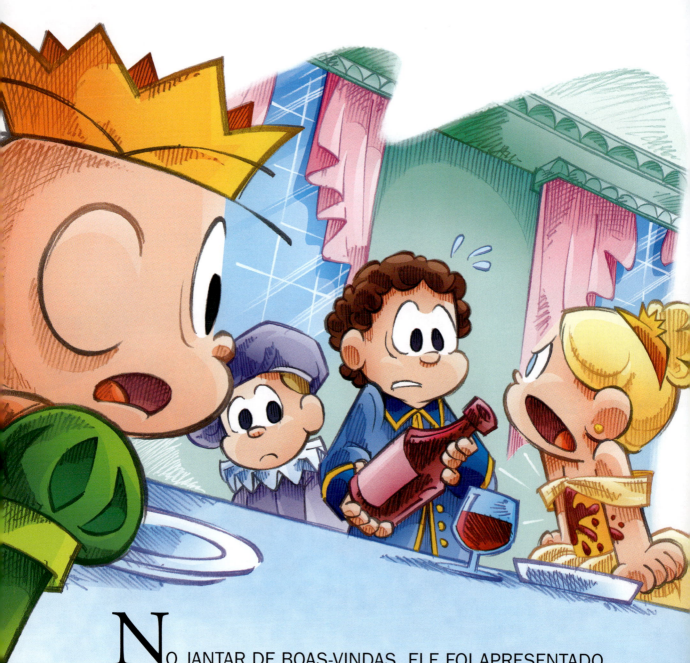

No jantar de boas-vindas, ele foi apresentado à princesa, que era bonita e elegante. Mas, na hora da refeição, quando um dos empregados derrubou sem querer suco de uva em seu vestido, a moça mostrou seu verdadeiro caráter. Gritou e xingou o empregado, humilhando o rapaz na frente de todos.

— Uma princesa sem educação e compaixão não é uma verdadeira princesa — concluiu o príncipe. E seguiu viagem para o próximo reino.

O TERCEIRO LUGAR TAMBÉM ERA MARAVILHOSO. O VILAREJO ERA PRÓSPERO E FELIZ. O PRÍNCIPE FICOU ESPERANÇOSO DE CONHECER ALI SUA FUTURA ESPOSA.

A PRINCESA ERA TÃO LINDA COMO UMA NOITE ESTRELADA. MAS TINHA UMA TRISTEZA NO OLHAR. QUANDO OS DOIS CONVERSARAM, O PRÍNCIPE PERCEBEU QUE A GAROTA ERA INSATISFEITA, RECLAMAVA DE TUDO E DE TODOS.

PARA ELA, NÃO EXISTIA FELICIDADE. ASSIM, MAIS UMA VEZ O PRÍNCIPE PARTIU DECEPCIONADO. AFINAL, UMA PESSOA QUE NÃO SE ALEGRA COM A VIDA NÃO PODERIA SER UMA PRINCESA DE VERDADE.

A MOÇA TOMOU BANHO E VESTIU UMA ROUPA EMPRESTADA PELA RAINHA. QUANDO ENTROU NA SALA DE JANTAR, TODOS A OLHARAM ADMIRADOS: ELA EMANAVA BELEZA E FORMOSURA.

— OS TRAJES CAÍRAM BEM. NOSSA HÓSPEDE PARECE UMA PRINCESA! — COMENTOU O PRÍNCIPE.

— CALMA, MEU FILHO! LEMBRE-SE: BELEZA E ELEGÂNCIA JÁ NOS ENGANARAM ANTES.

— MAS NOTEM COMO ESTA MOÇA COME FEITO UMA VERDADEIRA PRINCESA! — EXCLAMOU O REI.

Depois do jantar, o príncipe convidou a moça para conhecer o interior do castelo. Enquanto caminhavam, ela contou sobre sua aldeia, que conhecia e ajudava seus súditos e se preocupava com o bem-estar de seu povo.

Admirado com a bondade da moça, o príncipe chamou a rainha e disse que não tinha mais dúvidas: havia encontrado sua princesa.

Mas a rainha faria ainda um último teste, para saber se a jovem era realmente uma princesa.

A RAINHA, ENTÃO, PEDIU PARA SEUS CRIADOS PREPARAREM OS APOSENTOS PARA A NOVA HÓSPEDE. ORDENOU QUE COLOCASSEM UMA PEQUENA ERVILHA SOB O COLCHÃO E DEPOIS EMPILHASSEM VÁRIOS COLCHÕES EM CIMA DELA.

    A PRINCESINHA ESTRANHOU A ALTURA DA CAMA, MAS ESTAVA TÃO CANSADA QUE RAPIDAMENTE CAIU NO SONO.

    NO DIA SEGUINTE, A RAINHA PERGUNTOU:

    — DORMIU BEM, MINHA JOVEM?

    — SOU MUITO GRATA PELA HOSPEDAGEM, MAS HAVIA ALGUMA COISA NO COLCHÃO QUE MACHUCOU MINHA PELE A NOITE INTEIRA. ESTOU CHEIA DE MANCHAS ROXAS PELO CORPO.

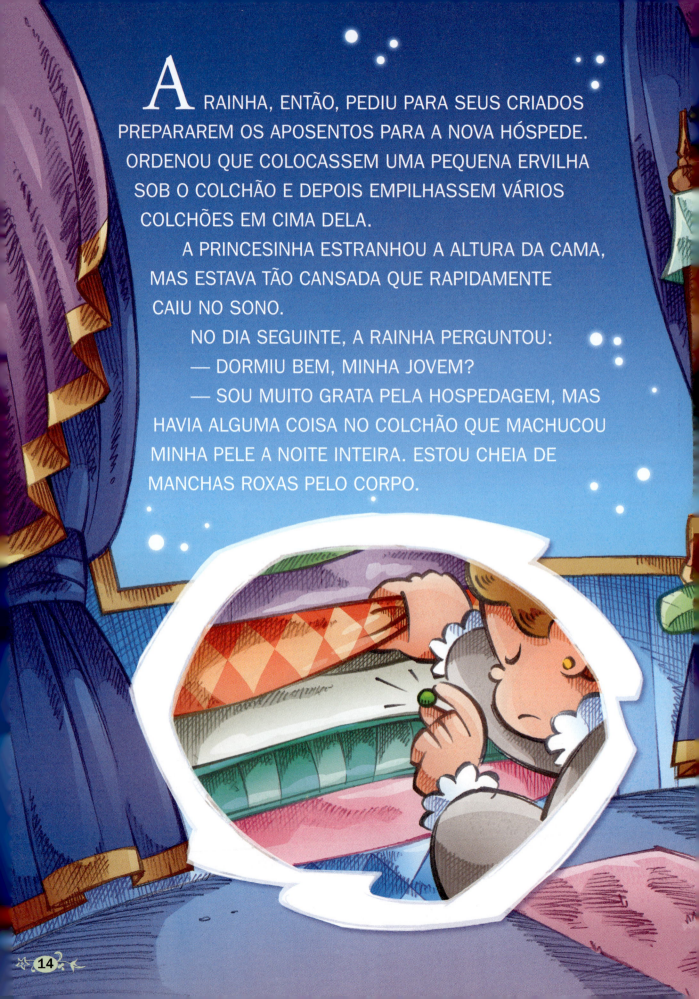

A RAINHA, ENTÃO, TEVE CERTEZA DE QUE ELA ERA UMA VERDADEIRA PRINCESA. SÓ ALGUÉM DE SANGUE REAL TERIA UMA PELE TÃO DELICADA E SENSÍVEL.

O CASAMENTO FOI REALIZADO NAQUELE MESMO DIA, E FORAM SETE DIAS E SETE NOITES DE FESTA.